Dauwynebog

Dauwynebog

Ceri Wyn Jones

Gomer

Cyhoeddwyd yn 2007 gan
Wasg Gomer, Llandysul, Ceredigion SA44 4JL

ISBN 978 1 84323 889 8

Dymuna'r cyhoeddwyr gydnabod cymorth
Cyngor Llyfrau Cymru.

Argraffwyd a rhwymwyd yng Nghymru gan
Wasg Gomer, Llandysul, Ceredigion

I

Catrin

CYDNABYDDIAETHAU

Mae 'gwneud y diolchiadau' yn hen, hen orchwyl. Mae'n arferiad. Mae'n ddyletswydd. Ac yn fy achos i, mae'n bleser diffuant. Rhag i mi, serch hynny, dywallt dagrau Oscaraidd wrth gydnabod fy nyledion i bawb a phobun, o'r athrawon ysgol mwyaf dylanwadol i'r boi o'r siop gebab, digon y tro hwn yw nodi'r canlynol:

Catrin a Gruffudd;
fy mam a 'nhad, a'm brawd a'm chwaer a'u teuluoedd;
Dylan ac Emyr;
yr holl unigolion, sefydliadau, gweisg a chyhoeddiadau a welodd yn dda i sbarduno, comisiynu neu gyhoeddi cerddi o'm heiddo dros y blynyddoedd;
Gwasg Gomer a Bethan Mair.

Ac yn olaf, diolch i bawb sy'n prynu copi o'r gyfrol ac i bawb sy'n ei darllen, neu, gorau oll, yn gwneud y ddau beth!

CYNNWYS

	tud.
Yr Aber	1
Hen Ŵr y Môr	2
Gwybod	3
Y Gymrâg	4
Y Barcud Coch	4
Noson Mas yn *Cardigan*	4
Llestr	5
Dosbarthu Taflenni'r Blaid	5
Prysurdeb	5
Baner 2000	6
Dial	7
SA43 i CF1	8
Cyfrifiad 2001	9
Cadw'r Mur	9
I Ddisgyblion Ysgol Gwynllyw	9
Cawod	10
Ymson Un o Ddisgyblion Ysgolion Cymraeg Gwent	11
Rhigol	11
Cyfres Deledu *Talwrn y Beirdd*	11
Mae Lle Iddi i Gyd . . .	12
Canu i'r Gymraeg	14
Y Gynghanedd	14
Pe Na Bai	14
Blas ar Ddarllen	15
Cywyddau Cyhoeddus	16
R. S.	18
Yr Ŵyl Gerdd Dant	20
Siaradwr Gwyddeleg yn y Dafarn yn Sneem	22
Y Gwyddelod yn Twickenham	22
VisitIreland.com	22
Cymwynaswr	23
Trafferthion	24
'Londonderry'	26
Y Wers Hanes	26
Innisfallen	26
Chwarae Plant	27
Dim Olew, Dim Milwyr	27
Rhyfel	27
Dau Ddwrn	28
You'll Never Walk Alone	28
Aberfan	28
Bechgyn	29
Cosb	29
Profiad	29
Croeso	30
I'r Tînejyr	31
Blwyddyn 11 *(Form V)*	31
Ystafell Ddosbarth	31
Cnoi *Gum* a Bara'r Cymun	32
Rhwng Dau Olau ar Lan yr Aber	34

	tud.
Cwestiwn	34
Yr Yswiriant Boreol	34
Bore Sul	35
Dewi Sant	36
Sant, Tad Dewi	36
George W. Bush	36
Wedi'r Ŵyl	37
Stori'r Geni 2	38
Tachwedd 25ain	39
Pwy a Ŵyr	39
Liw Nos	39
Nadolig 2001	40
Nadolig 2003	40
Nadolig 2005	40
Eira	41
Hanner Nos	42
Galwad Ffôn	43
Tri o'r Gloch y Bore	44
Priodi	44
Seler	44
Dylanwad	45
I Hywel yn 40	46
Diolch am Osod Cegin	48
T. Llew Jones yn 90	50
Geiriau a Gerais	52
Waldo	52
Haicw	52
Crefftwr	53
Catrin Finch	53
I Einir Dafydd yn 18	53
Cerys Catatonia	54
Y Torrwr Beddau	56
Wrth Weld Englyn ar Garreg Fedd	57
Geiriau o Gydymdeimlad	57
Er Cof am Gwyn Pari Huws	57
Torri'r Garw	58
Phil Bennett	60
John Cilrhue	62
Elin, Iwan a Rhys	65
Dim ond Cymrâg Aberteifi Sy' 'Da Fi	66
Y Cei yn Aberteifi	68
Ffarwelio â'r Haf yn Gwbert	68
I'r Pryfyn ar We Pry' Cop	68
Y Fursen Las Gyffredin	69
Hen Ŵr yn Darganfod Blodyn wedi'i Sychu mewn Llyfr	69
Rhif PIN	69
Y Bioden	70
Gwaddol	71

Yr Aber

Pan ddaw mor ddistaw o ddu
gŵn Annwn i gynhennu,
mae man a wnaiff wahaniaeth –
af am dro i'r fam o draeth.

Mae o hyd ei storom wâr
yn wallgof o gyfeillgar,
a cheseirio'i chysuron
at fy mêr wna'r aber hon.

Ie, at y traeth af bob tro –
fe wn y caf i yno
dawelwch yn y dilyw,
puraf oll po arwaf yw.

Hen Ŵr y Mor

Tu hwnt i ddŵr y twrist,
tu hwnt i'r haf twyni-trist,
hen ŵr a'i beint ydyw'r bae.
Hurt o uniaith yw'r tonnau
gyda'u llond ceg o gregyn
yn bragu iaith o boer gwyn:
hen ŵr llwyd a meddw'r lli
yn tisian anghwrteisi.

Yn dablen hyd at wenw'n,
môr trwm-ei-glyw ydyw hwn
yn galw i waith dros y glog
gawodydd unllygeidiog.
Mi wn am ei gymwynas –
'Dewch i mewn' sy'n 'Cadwch mas!';
geiriau swrth o groeso yw,
clydwch fel drws clo ydyw.

Ond erioed bu'r dŵr wedyn
yn driw i'w adar ei hun:
anwesa'r rhai sy' ar ôl
yn fân blufyn o blwyfol
mewn milltir sgwâr sy'n siarad
o don i don iaith ei dad.
Hon yw iaith y môr a wna
fynd ymaith heb fynd o'ma;
y lôn gyfyng lawn gofod,
y dafnau bas dyfna'n bod.

Gwybod

(Holwyd Sais a ymgartrefodd yn Nhre-fin yn 2002
'Didn't there used to be an old mill there?')

'*No way, mate,*' ei ymateb,
'ni wn i am felin neb
yn Nhre-fin, fy nghartref i.
Mi wn, heb 'nabod meini,
na fu fan hyn derfyn haf
olwyn na merlyn olaf,
na llwythi cras Llanrhian,
na gwenith gwyn iaith y gân.
Mi wn, ac rwy'n codi mur
rhag sillafau'r gŵys llafur.
Mi wn, am 'mod i'n frodor
o Dre-fin ym min y môr.'

Y Gymrâg

Fe fu'n arafu erio'd, a'i dyddiau'n
diweddu'n ddiddarfod,
a, bob awr ers bore'i bod,
bu ei weindio yn boendod.

Y Barcud Coch

Yn y tir di-ganiatâd fyny fry
lle bo'r frân yn ddeiliad,
ni hawlia hwn ei hen wlad,
nid yw ond deryn dŵad.

Noson Mas yn *Cardigan*

Rwy'n siŵr, wrth fynd i'r *Indian*, y clywais,
drwy dwll clo'r *Red Lion*,
rai'n dweud 'Trewern', nid '*Tre-wurn*',
dweud 'Nanhyfer', nid '*Nevern*'.

Llestr

(sef blwch pleidleisio Ceredigion, Etholiad Cyffredinol 2005,
pan gollodd Plaid Cymru ei sedd)

Mae'i enau, er eu meined, yn siarad
iaith sir ac rwy'n clywed
yn ei lais, waeth beth fo'i led,
gegau main y gymuned.

Dosbarthu Taflenni'r Blaid

O'r sedd o fla'n tân yn y tŷ, ni ddaw
i ni ddim yfory
onid af i ddannedd du
gwynt Tachwedd heb gintachu.

Prysurdeb

Pan fo'r iaith eilwaith yn holi am un
gymwynas fach drosti,
dim oll sy'n ormod i mi –
yr wyf eisoes rhy fishi.

Baner 2000

(Wrth ailaddurno eu Hystafell Gyffredin, paentiodd Chweched Dosbarth Ysgol Dyffryn Teifi faner y Ddraig Goch yn anferth ar un o'r muriau.)

Draig cŵl â hyder calon
yn ei hana'l yw'r wal hon,
a Glyndŵr drwy'r oglau'n dod
yn do ifanc, yn dafod,
a chystrawen dadeni
yn ei chnawd a'i gwreichion hi.

Nid cell yw'ch stafell, ond stŵr
a hwyl a gwichian rholiwr;
rholiwr hawdd ar wal rhyddid
yn chwifio'i ddwylo'n ddi-hid.
Ar gynfas bras, mae sbri iau
brwsys yn sgubo'r oesau.

Dan baent coch, gorchuddioch chi
ei phytiau o graffiti:
dyddiadau; enwau; hanes;
y 'Rown-ni-yma' mewn rhes.
Stafell criw heddiw yw hi,
a'i muriau'n ddi-Gilmeri.

Mae hyder di-Dryweryn
ynoch yn goch, gwyrdd, a gwyn,
a draw i'r iard af am dro
yn wên,
cyn clywed yno

'*But after* Ffis., *what is it?*'
'Hanes *and* Tech., *isn't it?*'

Dial

(Mewn rhyw barti yn y Ferwig, trodd un o'm cyd-sgyrswyr ata' i a'm ffrind gan ddweud '*Will you stop speaking Welsh!*')

Llyncais. Mi wenais yn wyn,
yn gwrtais (hyd at gortyn
am ei gwddwg). Mi guddiais
fi fy hun o dan fy ais,
a rhegi'r wraig eger hon
yn nhawelwch fy nghalon;
rhegi, a mynd i'm cragen,
casáu gyda hances wen.

Ond wedyn, yn fy stydi,
cerdd dant-am-ddant yw 'ngherdd i;
llygad am lygad o lên,
y dialedd trwch deilen.
Rwy'n A4 o arw
â'm paned dwym *point two-two*;
taniwr bwled cwpled caeth
yn foesgar fy nherfysgaeth.

Ac rwy'n dal, fesul talwrn,
i gadw iaith heb gau dwrn,
i garu'r iaith â thiwn gron
fy odlau hunanfodlon,
ychydig yn falch wedyn
o'r llwfwrhau llafar hyn,
o'r dial neis, a'r dal 'nôl
yn gain o annigonol.

SA43 i CF1

Yn nhyddynnod y ddinas,
mae'n sôn mawr am noson mas;
mae'r *Mochyn Du*'n canu'r dydd,
mae'r *Cayo*'n morio cywydd
a chôr yr adar bore
yn harddu'r ffordd i'r *Halfway*.

I guriadau'r gwydrau gwin
dan y sêr â'u dawns werin,
hen gân yn ei hugeiniau
yw'r gerdd dant ar balmant bae:
cân yw hon o'n caeau ni,
cân Taf yn acen Teifi.

Yn ein *Bell* a'n *Angel* ni,
mae'r sôn uwch afon Teifi
am gae haidd, am gywyddau'n
para'n hwyr – ond yn prinhau,
gan fyw â'i ofn o'r gân fwys,
cân Teifi'n acen Tafwys.

Cyfrifiad 2001

Mewn dadeni mae'n denau ar yr iaith
na all drin ffigyrau:
yn y pwynt un a'r pwynt dau,
cynrhonwn mewn canrannau.

Cadw'r Mur

Addfwyned fy mwledi pan ddaw'r awr
i wir ymwroli,
y pwyth a'r clwyf ydwyf i
ac am waed wrth gymodi.

I Ddisgyblion Ysgol Gwynllyw

Heb weiddi, y mae byddin, na wyddant
am feddau'r Gododdin,
yn mentro i'r iard er mwyn trin
arfau iaith yn Nhrevethin.

Cawod

(Yn ystod Cwpan Pêl-droed y Byd 2002, gwelwyd Jac yr Undeb yn cyhwfan yn braf tu fas i'r *Prince Llywelyn Inn*, Cilmeri.)

Rhag y gawod cysgodaf
fan hyn dros ryw beint fin haf;
man lle na bo syrthio sêr
na hynt y gwynt dros gownter;
bar uniaith, lle i'r brenin,
bar sigarèts lle bo'r sgrîn
a chriw'r groes goch ar grys gwyn
yn hawlio'r *Prince Llywelyn.*

Ac ar ôl ei gwrw rhad,
San Siôr ei hun sy'n siarad:
Olé a Michael Owen
a'r *Sun* yn wir sy'n ei wên;
ugain rheg yw ei gân rydd,
'Ere We Go yw ei gywydd.
Haul mawr sydd dros Gilmeri,
haul mawr fel dilyw i mi.

Rhag ei haul, a rhag alaw
Eng-e-land, af at fy nglaw;
o *Eng-e-land* at fy ngwlad,
a'i brain a'i ab yr Ynad.
Storm gyfeillgar o arw
sy'n well na'u holl groeso nhw,
ac mae, yn ei hymgom hi,
gawodydd i'm cysgodi.

Ymson Un o Ddisgyblion Ysgolion Cymraeg Gwent

Fi dim wastad cael treiglade, na'r hwns
na'r hons, na'r englyne;
ond fi'n lyfo gyd o fe,
mae fe'n cŵl, mae fi'n cael-e.

Rhigol

Na'r oes hon a'i barddoniaeth, llawer gwell
yw'r gerdd am hen amaeth;
llawer gwell yw'r og a aeth –
cysurus yw cwys hiraeth.

Cyfres Deledu *Talwrn y Beirdd*

(a ddiflannodd ar ôl dwy gyfres)

Rhy sgwâr heno i'r sgriniau – a rhy hoff
o roi graen ar eiriau;
rhy gefn gwlad ei threigladau,
rhy Gymreig i gamerâu.

Mae Lle Iddi i Gyd . . .

(Bûm yn cynnal gweithdai barddoniaeth gyda phlant Wrecsam wythnos ar ôl etholiadau'r Cynulliad 2007, gan aros dros nos mewn gwesty ym Marchwiel.)

Yn y gornel dawelaf o salŵn
y *Cross Lanes* gwrandawaf
ar sgyrsiau dibwys dwysaf
bar yr hwyr yn byrhau'r haf.

Y mae, rhwng y drws a mi, rai o'r hen
athronwyr yn gori
a dweud y drefn: dau neu dri
o deidiau'n awdurdodi;
dau neu dri bol yn moesoli mor hawdd
wrth ymroi i ddad-sobri
liw nos a'n goleuo ni
yn eu talwrn poteli.

Y mae'r gwybod mor gwbwl; y malu
deili-meil mor fanwl;
dyma berlau'r potiau *pool*,
y dybiaeth genau-dwbwl.

Yn gadarn fel nas barner na'u newid,
dyma nhw'n eu cyfer,
ysgolheigion dysg lager,
yn barnu'n blaen Brown a Blair
cyn dweud eu dweud yn deidi am Iràc,
am y rhoces, Maddie;

am Charles ac am dîm Chelsea;
am boen pawb, am *BNP*;
am dwyll bwcis a phrisiau rasus Caer,
am bris cwrw yntau;
am sos brown, am seis bronnau;
am eff-ol yn MFI.

Mi af yn smỳg, ddirmygus o'm gelyn
i'm gwely cysurus
â'i chwa iach ymhell o chwys
bywydau anwybodus
na soniant am loes heniaith, na swnian
am drais hanes ganwaith;
na phitsiant emyn unwaith,
na cherdd rydd, na chywydd chwaith.

Yn ddiawen addawaf na haeddant
gerdd iddynt, na weithiaf
englynion ac na soniaf
am y rhain ym mar yr haf.

Canu i'r Gymraeg

Moriais y gwae (mae'r ias go iawn wastad
mewn cân drist a chyfiawn)
ac, ymhob englyn uniawn,
cerais yr iaith fel crys rhawn.

Y Gynghanedd

Oherwydd nad oes mo'i thorri, na modd,
mi wn, i'w meistroli,
pan ganaf fe weithiaf i
adenydd o'i chadwyni.

Pe Na Bai

Pe na bai am gynghanedd,
y sain a'r groes a'r draws,
fe fyddai gwneud englynion
jyst lôds yn blydi haws!

Blas ar Ddarllen

(Wedi i mi ddarganfod Gruffudd yn bwyta copi o *Barddas*.)

Naw wfft i rysgiau Ffarli,
a'r botel amser bwyd,
mae'n well gan Gruffudd fwyta
beirniadaeth Alan Llwyd.

Mae'n llyfu'r groes o gyswllt,
mae'n llyncu'r cyrch a'r gwant;
mae'n llarpio'r hir a thoddaid
er nad oes ganddo ddant.

Ac wir, mae'r crwtyn nawmis
yn dechrau mynd yn drwm
a'i fola'n llawn o Ddonald
ac Iwan Llwyd a Thwm.

Mae'n dechrau ymdebygu
i ambell fardd go fawr:
mae'n siarad lot o nonsens
a driblo dros y llawr.

Fe fwytith Gruff y cwbwl,
fe fwytai e ei drôns;
yr unig beth mae'n gwrthod
yw colofn Bobi Jones!

Cywyddau Cyhoeddus

(Ynghanol y 1990au, diolch i Myrddin ap Dafydd a'i debyg, cynhaliwyd cyfres o nosweithiau barddol mewn tai tafarn ledled y wlad yn dwyn y teitl 'Cywyddau Cyhoeddus'. Y nod oedd ailboblogeiddio'r cywydd – ac yn wir y gynghanedd ei hun – fel cyfrwng cymdeithasol.)

Yn nhŷ glân y gynghanedd,
real yobs a ddaeth i'r wledd:
beirdd iau ar y byrddau hen,
criw *takeaway* yr Awen.
Hwy ddenim ein barddoniaeth,
caniau *coke* y canu caeth;
hwy hyder mewn lleder llên,
cariôci yr acen.

Y bois cŵl, y bois caled
yn strytio crefft eu *street cred*
yw'r gang sy'n rapio ar goedd
i drawiadau y strydoedd.
Ie, to'r disgo troedysgawn
sy'n dod ar y sîn â'u dawns
ar eiriau'n chwil, cyn troi'n chwys
yn y rêf ar y wefus.

Wrth y bar mae'r adar iau
yn credu mewn curiadau:
yn nhafarn canu cyfoes,
ymroi i'r bît y mae'r bois.
A phan gleciant dant gitâr
eu *hit singles* cytseingar,
chwiliant y dorf am Morfudd
neu lygadu Dyddgu'r dydd.

Ar gynghanedd fe feddwant,
yfed o hyd am fod whant
craic y creu a'r cwrw cry'
dua' oll i'w diwallu,
gan fwynhau *high* yr Awen
a magu llais ym mwg llên;
joio smocio'r ias *home-made*
a *rollies* Tudur Aled.

Dan nawdd y dadeni hyn,
Iolo Goch sy'n ailgychwyn
a Siôn Cent a'i sŵn cintach
a Nanmor a'i hiwmor iach.
Ac ail-ynghyn derfyn dydd
yn y dafarn, mae Dafydd
ap Gwilym, dôp y galon,
a Bwa Bach newydd sbon.

Am i'r oesau ymryson
heno'n hwyl y dafarn hon,
troir y glec yng Nguto'r Glyn
yn ddweud mor newydd wedyn,
a'r ifainc a'r canrifoedd
yn un flwyddyn, yn un floedd
oedd ddoe'n fil oed, heddiw'n flwydd,
yn ddiwygiad ar ddigwydd.

R. S.

Lle yfwn gerddi llafar,
rhy hawdd yw bît beirdd y bar:
awn am *O!* 'r gwrandawyr mwy
â'n hias glyd, ddisgwyliadwy,
neu'r chwerthin sy'n glod inni
yn yr iaith ffraeth, ffwr'-â-hi.
Da yw'r bois am odro'r *buzz* –
sêr panto'n plesio'r *punters* –
ac wrth ganu'n ein *Guinness*
adar ŷm.
Ond nid R. S.

Canai delyneg eger
o fwyn a'i phoeri o'i fêr,
wrth regi'n swrth ar gân serch
i'r pridd yn nagrau Prytherch.
Carai'r Iago caregog,
a charai'r awch ar ei og,
a rhychau sur chwys ei wedd,
a'r waun dan yr ewinedd.

Gwelai hwn mewn gwylanod
emynau Duw'n mynd a dod
heibio i'r iet, fel y brain,
yn nefolaidd o filain.
Dwedai beudy ei bader;
ar do'r sied siaradai'r sêr;
ac o'r clai fe glywai'n glir
angel Crist yng nghlec rhostir.

Ac er i'w wlad ei wadu,
fe garodd ef, â'i gerdd ddu,
ei henaid balch hyd y bedd,
a'i garu'n ddidrugaredd.

Mae beirdd y bar yn aros
hwrê a nawdd cwrw'r nos,
ond nid un ohonyn' nhw,
na llenor cerrig llanw,
ydoedd.

Na, clogwyn ydyw,
mewn rhyw storm yn aros Duw.

Yr Ŵyl Gerdd Dant am Ddant

(Yn 2005, roedd y Llywodraeth am basio deddfwriaeth a fyddai'n gwahardd '. . . *the glorifying of and incitement to terrorism'*.)

Ers achau mawrhau mae'r ŵyl
yr hen derfysgwyr annwyl
gan ein hannog i hogi,
fel hwythau, ein harfau ni:
dyrnau trwm Glyndŵr yw'n traw,
Llywelyn yw'n holl alaw.

Ond, fesul cywydd, gwyddom
nad huodledd bedd a bom
go iawn sydd yn mynd â'n gwynt:
trosiadau, nid trais, ydynt.
Ond mae ar Blair ofn deri'n
ymdaraw'n ein halaw ni:

'*Singing verse is subversive,*
so ban it, don't let it live!
It might incite more to sing
or rise – it's terrorizing!'
Mae ar Blair ofn 'Cilmeri'
a chledd ei chynghanedd hi.

Ni all lai na chlywed llais
dialedd parti deulais
lle bo seicos croesacen
am droi gwddf, am dorri gên;
ac fe wêl hen ogofâu
a Saddam yn eu stumiau!

Mae ar Blair ofn tant gwerin.
Yn wir, mae'n amau'n bod ni'n
dal yn ôl un delyn hud
â'i bwa peryg bywyd;
bwa â'i annel yn bennill,
a'i saethau syth yn saith sill.

Ni raid i Blair bryderu.
Fan hyn nid oes un llafn du
er dod i'r ŵyl fel i'r drin
a dynwared Aneirin.
Gorau clwyf, clwyf ar lwyfan:
gorau arfau, geiriau'r gân . . .

Siaradwr Gwyddeleg yn y Dafarn yn Sneem

Dyn â baw dan bob ewin; dyn diarth
dan do ei gynefin;
hen gob brith â'i Saesneg prin,
hen ŵr o baent Aneurin.

Y Gwyddelod yn Twickenham

Rywsut pan deimlir iasau yr ennill
ar hwn, o'r holl gaeau,
am eiliad mae'r cyndadau
hwythau'n rhydd yn Athenry.

VisitIreland.com

Os yw'n haws ei hanwesu nawr ei bod
mor bert, mae hi'n mynnu
cael dweud ei dweud am bridd du
hen, hen nain yn newynu.

Cymwynaswr

(sef y *guide* a wnaeth fy nhywys o amgylch amgueddfa Kilmainham, hen garchar y milwyr gweriniaethol yn Nulyn, lle y dienyddiwyd arweinwyr Gwrthryfel y Pasg 1916)

Gwn iddo adrodd ganwaith
yr un wers fel rhan o'i waith;
ac eto, wrth iddo wau
hen drywydd ei storïau,
clywais, ym molltio'r cloeon,
agor y frest, geiriau'r fron:
brawddegau o glwyfau gwlad
yn yr adrodd yn ffrwydrad.

Tu ôl i'r sbectol coleg
yr oedd ei lygaid yn rheg,
a hawliai ef fesul wal
weriniaeth dan yr ana'l.
Fesul cell roedd cymhelliad
a bariau swrth o berswâd
fod y man hwn, man eu hel,
yn athrofa gwrthryfel.

Clywai hwn drwy dwll y clo
y bwledi'n ymbleidio,
ac yng ngharchar gwlatgarwch
un p'nawn llawn pelydrau llwch,
yr oedd pob estyllen frau
yn hanesydd hen eisiau
a wadai i'r carn wedyn
fy ngwersi *history* fy hun.

Yn yr haul ar ôl ein tro,
crynais. Oedais. A gwrido.

Trafferthion

(Yn Hydref 1998, bûm gyda grŵp o ffrindiau yn gwrando ar fand gwerin gweriniaethol y *Wolfe Tones* yn perfformio yn y *Bridge Hotel* yn Waterford.)

Trwy'r gwthio tiriogaethol
dyrnau-Guinness es yn ôl
at y bar (a'i wynt tŷ-bach)
yn fyddar gan gyfeddach.
Yno'n ein criw ni'n hunain
a'n gwydrau oer pigau-drain,
yn y mwynhad ofnem ni
y baledwyr bwledi
a finiogai'u cefnogwyr
dant wrth dant â'u nodau dur.

Fin nos, fe ddawnsiai fan hyn
griw â'r diawl o sgwâr Dulyn;
bysiau o'r *Maze*, bois Armagh,
ac adar o Drogheda'n
hŷn na'r Boyne, a'r chwaer benwyn
gaib-a-rhaw o Skibereen.

Uwch chwys y dorf, uwch eu stŵr,
roedd gan y bardd o ganwr
feic tyner yn diferu
yn ei ddwrn, fel taten ddu:
grenêd eu gwerin ydoedd,
ond grenêd â deigryn oedd,
a gwnai'r band, a ganai i'r bedd,
angau'i hun yn gynghanedd.

Anwylais y dorf greulon
drwy'r tarth diarth wrth i'r dôn
fwy neu lai f'anwylo i
â gordd ei hwiangerddi.
Lle bu braw, roedd bom tawel
yn ffrwydro to'r *Bridge Hotel.*

Es adre dan fy maner
yn iasau lu – tan Rosslare.

‘Londonderry’

Er i alar ei hawlio; er i’r map
 a’r mur ei Llundeinio;
ar lan cors, ar furlun co’,
y mae Derry’n ymdaro.

Y Wers Hanes

Yn ôl eu llyfr *history* nhw, o dan wawd
 rhyw droednodyn pitw,
mae ein duw’n ddim ond enw,
a’n Howain ni’n *Owen who?*

Innisfallen

(ar ganol Lough Léin, Cill Airne)

Rhag pob clwyf, mae modd rhwyfo’n hyderus
 i dir eich breuddwydion.
Tarian saint yw’r ynys hon;
gefeilliwyd ag Afallon.

Ond yng nghlydwch heddwch hon, diafol
 dwfwn yw’r hen ofon
y daw o hyd dros y don
fwyelli i Afallon.

Chwarae Plant

Fel y 'Bang! Bang!' pwyntio-bys a'r morio
marw mor ddychmygus,
i'r crach yn y tei a'r crys,
mae rhyfela mor felys.

Dim Olew, Dim Milwyr

(i un o ffoaduriaid Darfur, Swdan)

Ni halwn fwy na'n hwylo, faban gwan,
nad oes gennyt heno
ond tywod rhad a gwynt tro
Sahara'n dy gysuro.

Rhyfel

Bydd cau beddau tra byddo dynion da
yn dial drwy frwydro,
a bydd cau beddau tra bo
dialedd golchi dwylo.

Dau Ddwrn

Nid yw dwrn fy nghadernid, er cymaint
ydyw'r cam neu'r erlid,
am hyrddio'i hun mor ddi-hid
â dwrn fy anghadernid.

You'll Never Walk Alone

Yn uwch na'r *Walk On* uchel, a'r cwpan
a'r Kop a'r gic gornel,
ym mhen mamau beddau'r bêl
seiniesid noson Heysel.

Aberfan

Os yw'r cof yn dal i rofio'r rhai bach
o'r baw a'u pitïo,
mwy cyndyn yw'r glyn a'r glo
a'r glaw oer i egluro.

Bechgyn

Un bore haf gaeafol – a dau dîm
    yn dwt wedi'u dethol,
  ar asgell caeau'r ysgol
  mewn rhes y mae un ar ôl.

Cosb

Gan imi'n fachgen amau y cariad
    mewn cweir, anodd maddau
  yn rhwydd garedigrwydd dau,
  caredigrwydd creu'r dagrau.

Profiad

Am na fentrwn pan oeddwn iau drwy'r drain
    'da'r rhai drwg i chwarae,
  bu erioed fy nghroen gwyn, brau,
  yn hiraethu am greithiau.

Croeso

(Yn blant, arferem ymosod ar gastell Cilgerran i fyny'r llethr serth o lan yr afon, yn hytrach na thalu'r pris mynediad swyddogol.)

Rhyngof i â'r ddringfa hon
peraroglai peryglon:
Moelwyn o lechi milain,
dynad â'u brad a dom brain
a rhes o rybuddion pren –
gwaharddiadau gardd Eden!

Roedd, o dan bob arwydd dig,
wahoddiadau'n guddiedig
i adennill gweddillion
y gaer oer, annheyrngar hon.
Ati'r aem, heb fynd un tro
heb wawdio'r dweud i beidio.

I'r Tînejyr

Wrth roi croen dy dîn ar dalcen
cofia eiriau rhyw hen ffŵl:
'Os yw'n cŵl i fod yn ddiflas,
diawch, mae'n ddiflas bod yn cŵl!'

Blwyddyn 11 *(Form V)*

Digient yn greadigol gan adael
ar gnawd y ddesg ysgol
greithiau'u henwau ar eu hôl
yn gywyddau tragwyddol.

Ystafell Ddosbarth

Fel hen wrthryfel o hyd a wasgwyd
dan y desgiau pwdlyd,
mae'r *chewing gum* disymud
eto'n rhegi'r gwersi i gyd.

Cnoi *Gum* a Bara'r Cymun

Nid plant capel a welaf
un wers hir, rhy hir, o haf:
plant tecsto nid Eifion Wyn,
plant cŵl nid Plantycelyn
yw'r rhain yn ôl yr hanes.
Ond trof, serch hyn, at R. S.,
at 'waith o bwys', at iaith bur
y groes wag – a'r wers segur.

Ofnaf, wrth ddechrau trafod,
seibiau hir y rhesi *bored*:
y *so whats* arferol sydd
a'r *wharrevers* am grefydd.
Ond holant, nid tawelu;
porant tu hwnt i'r print du,
a mynd â'u cwestiynau 'mhell,
mynd i gymun digymell.

Ac fel rhyw neges-destun
yn y dim rhwng duw a dyn,
ar yr hen sgrîn sgwâr ei hiaith
y mae ana'l am unwaith.
Mae duw dad anghredadun
yn synnu'r swots yn rhes un,
a rhythwyr swrth y rhes ôl
yn rhyfeddu'n wirfoddol.

Rhwng becso'r dam ac amau,
y mae rhyw dduw'n ymryddhau
ei hun i saint y wers hon,
y brain o bererinion.
Yn ddiddefod o ddwyfol,
wynebau stond yw pob stôl,
a rhaid llyncu dagrau, bron,
dagrau'r ystwyll digristion.

Rhwng Dau Olau ar Lan yr Aber

Lle bo'r 'Paham?', lle bo'r 'Pwy?' 'n tybio bod
ateb uwch na mympwy,
oedi'n anwahanadwy
y mae'r Duw mawr a'r Dim mwy.

Cwestiwn

Os, Dduw, nad oes ddaioni oni bai
hefyd bod drygioni,
a ddwed hyn na fyddet ti
heb y Diawl yn bodoli?

Yr Yswiriant Boreol

Ar *ryw* dduw, rwy'n gweddïo'n wyngalchog,
gan ail-gylchu'n brydlon
fy nagrau hawdd, fy nhiwn gron
ar ei gyfer – rhag ofon.

Bore Sul

Mae'n ddeg, ac mi wn yn dda
resymeg aros yma
yn nefosiwn cynfasau
lie-in y Sul, a nesáu
at fwrdd *CD* '*Agnus Dei*'
offeren *Requiem* Fauré,
cyn sagrafen hamddenol
ffwr'-â-hi'r coffi a rôl.
Sul hawdd heb un *hassle* yw,
clydwch fel encil ydyw,

a hwnnw mor wahanol
i'r hyn oedd flynyddoedd 'nôl:

> y bore Sul bara-sych
> yng nghwmni'r seti siwtwych
> a'u duwdod difaldodi
> yn dwyn fy adnodau i.
> Am un awr roedd manna'n wae,
> a daioni'n gadwynau:
> yn ei nefoedd annifyr
> daliai ein Duw hoelion dur . . .

Er hyn, er y dymunwn
y Sul mwy cysurus hwn,
am un ar ddeg mae'n rhy dda,
mae'n gymun euog yma.

Dewi Sant

Yr oedd ei nefoedd ddi-nod yn erw
a garai gydnabod
y manion bach mwya'n bod,
y dwyfoldeb difaldod.

Sant, Tad Dewi

Am i hwn gymryd menyw, a mynnu
cymuno fel gwryw,
breintiedig a brwnt ydyw –
fe dreisiodd ef dros ei Dduw.

George W. Bush

(y gwrth-erthylwr)

Yn Iràc, yn enw Cred, a heb ofn
lladd plant bach, diniwed,
rhoi'r Gair a wnest i'r grenêd
a dwyfoli dy fwled.

Wedi'r Ŵyl

Heno fe rown, fel llynedd,
ŵyl y byw yn ôl i'w bedd,
wrth gloi doli'r babi bach
i gadw mewn hen gadach,
ac i'r atig rhoi eto
y tamaid trist am y tro;
i'r cartre' hwn rhoi'r crwt rhad
yn ddwyfol o amddifad.
Yno 'nghrud ei alltudiaeth,
mae'n rhith o gorff, mae'n wyrth gaeth,
ac ogof ein hangof ni
ni wêl heno'i oleuni.

Stori'r Geni 2

('Beth ddysgest di yn ysgol heddi' 'de?')

'Rôl crwydro o Narberth roedd Joseff am aur
i brynu o leia' un *wellie*'n y gwair,
ac er nad oedd lle yn y Beti, 'rôl sbel
roedd lle yn y Starbucks i fe a Manuel,
ac yno fe anwyd y caban bach, gwych,
a'i roi yn y mellt gyda'r rhacsyn a'r brych.

Ar gefn eu cwningod fe ddaeth tri gŵr noeth,
gan ddilyn y seiren o'r dwyrain pell, poeth,
(ac enwau y noethion oedd Mair, Myrr a Phus –
wel dyna yr enwau a gawsom gan Miss!).
A daethant i Starbucks 'rôl teithio'r holl fyd
a rhoi eu harchebion i'r caban mewn crud.

Ym Methlem Jemeima yr oedd yn y nos
fogeiliaid yn hwylio eu blaidd ar y rhos,
a chamel yr Arglwydd a safodd gerllaw
a darllen y *news* am lawenydd heb fraw:
'Mae caban 'di eni, na fyddwch yn drist –
ewch draw at y *press-up* i weld Bessie Grist!'

Tachwedd 25ain

Cyn daw ef yn y cnawd ei hun, mae mis,
    un mis maith, fy mhlentyn,
  yn weddill o'r hen flwyddyn –
  ond, wir, mae'n dod, er mwyn dyn!

Pwy a Ŵyr

Wedi i'r Achos dy drochi; wedi i Dduw
    dy ddwyn o'th ddyweddi,
  Mair ffyddlon, sut esboni
  burdeb dy odineb di?

Liw Nos

Liw nos, a'n carolau'n hen, fe wenaf
    innau'n llawn cenfigen
  ar y plant a welant wên
  mab y saer ymhob seren.

Nadolig 2001
(dri mis ar ôl 9/11)

Yng nghelwydd yr angylion, af o hyd
i'r un fan â'r doethion
gan ddilyn ar fy union
siwrne wast y seren hon.

Nadolig 2003
(i'r doethion tu fas i Fethlehem)

Ymaith o'r dre ddigymod ewch o hyd
rhag i chi'n eich syndod
weld taw seren wen eich nod
yw'r seren at ddrws Herod.

Nadolig 2005
(bum niwrnod wedi geni Gruffudd)

Bûm yn wfftio'r hen, hen stori am wyrth
y Mab, ond eleni
rydwy' am ei chredu hi –
y gwahaniaeth yw'r geni.

Eira

Y ma'r parti'n cau amdana'i,
ma' fy mhen i'n troi i gyd,
ac ma'r gwin a'r mwg a'r drymie'n
curo'n gynt a chynt o hyd.
Ma' nhw'n whare'r hen recordie,
ma' fy ffrindie'n troi yn sgrech;
wrth i'r noson wasgu arna'i,
y ma'r dathlu'n mynd yn drech.

Wedi morio *Merry Christmas!*,
wedi dala dwylo'n dynn;
wedi dawnsio o dan dinsel,
ma'n rhaid jiengyd o fan hyn.
Mas i'r noson fowr, agored,
mas i'r awyr dywyll, iach,
lle ma' dafne o dawelwch
arna i'n disgyn gan bwyll bach.

Ar fy nhalcen, teimlaf gysur
ergyd swil o'r gawod sêr;
cusan wen yn cosi'n wyneb,
pluen wen yn lleddfu'r mêr.
Ac rwy'n teimlo'r eira heno
yn cynhesu 'nghalon i;
fesul pluen ysgafn, ddisglair,
yn goleuo'r noson ddu.

A do's dim i darfu arna'i;
'sdim i'w glywed dros y byd;
dim ond sŵn anadlu tyner,
sŵn y baban yn ei grud.

Hanner Nos

Am un ana'l nos Galan
arhosai'r môr a'r sêr mân,
y dryw bach a duwiau'r byd
yn eu hunfan drwy'r henfyd.

Arhosai clociau'r oesoedd
wedi i ni gyfri ar goedd
eto o'r deg i'r tri-dau-un
a floeddiem rhwng dwy flwyddyn.

Rhwng un a dim yn union
ceisiem ddal yr ana'l hon
heb ddoe i rwystro'n boddhad
na 'fory i ddweud ei fwriad;

dal ana'l ddofn, ddigofnod,
ddi-oes, cyn i'r *Lang Syne* ddod
yn freichiau a nodau i ni,
yn dôn fel pe'n gadwyni;

dal ana'l cyn i Ianws
gau'r drysau wrth agor drws
i awyr iach oer a braf,
i oes yr ana'l nesaf.

Galwad Ffôn

(sef ffonio fy rhieni o Ysbyty Llwynhelyg
i ddweud am eni fy mab, 20.12.05)

Mae'n awr dweud pethau mawrion;
awr addas iawn i feirdd sôn
am 'fydysawd mewn bawd bach'
a 'llaw wan yn dal llinach'
ac yn y bla'n fel ganwaith.

Ond mae hwn tu hwnt i iaith
y dweud mawr a'i idiom wag,
a heno, gwell beth bynnag
yw dweud mawr dim o eiriau,
y dweud cyffredin rhwng dau:

'Mam? Mab! Ie, mab. Ac mae e'n
iawn wêth. A Catrin hithe.'

Tri o'r Gloch y Bore

Pan fyddo dy wylo di yn rhy hallt
  i'r un si-hei-lwli
 na chwtsh yn fy mreichiau i,
 fe'th ddiawliaf a'th addoli.

Priodi

I'r cariadon ffyddlonaf, mae'r addo
  mor hawdd ag un sillaf,
 am mai y gair bach mwyaf
 yn ein hiaith yw'r gair bach 'Gwnaf'.

Seler

Mae un stafell na elli mo'i datgloi
  yn glyd pan ddoi ati,
 a man na chei mohoni
 am mai o'm mewn y mae hi.

Dylanwad

(Mae teulu fy nhad yn hanu o Flaenau Ffestiniog
yng nghysgod y Moelwyn.)

Os ofnaf na fedraf i
hel achau yn ei lechi
dienaid, na gweld yno'r
acenion cŷn ers cyn co',
na rhoi'n awr enw na hynt,
na bedd, na wyneb iddynt;
o hyd y mae'r cyndadau
ym mêr fy mêr ac y mae
rheg a chwys eu creigiau chwal
yn finiog ar fy ana'l,
a chywyddau'r llechweddi
yn faen ar faen ynof i.

I Hywel yn 40

Hywel, cwrs golff yw bywyd:
un wâc hir drwy berci'r byd
gyda'r baich o gadw'r bêl
ar lôn union ei hannel,
a nodi'r sgôr iawn wedyn
o'r cyntaf i'r olaf un.

Deunaw twll o hyd yw'n taith
o geibio fferwês gobaith,
o balu drwy helbulon
gyda ffydd mewn ergyd ffon.
Bôgis a byrdis yw byw,
y ffedog a'r ryff ydyw.

Weithiau pêl sydd wrth y pin,
weithiau mae yn yr eithin
ac, mewn natur, pladuriwn
ati hi drwy'r tyfiant hwn.
Dyma'r prawf o dymer *pro*:
ni bu drysor heb drasio.

Ond weithiau, o'r tî dethol,
cyn daw'r nos cawn daro'n ôl
a chael y belen fach hon
i reoli'r awelon
ar ei thrywydd *three-iron*,
ar lein wych i'r *hole-in-one*!

Yn fuddugol neu'n olaf,
law neu niwl neu heulwen haf,
bob yn un derbyniwn ni
y deunaw a roed inni
gan gario'n croes yn foeswych
ar y grîn neu i mewn i'r gwrych.

Rownd ar ei hanner yw hon,
Hywel, ac 'rôl mympwyon
naw o dyllau'n mynd allan,
mae naw i mewn yn y man,
ac rwyt, fel yr wyt bob tro'n
sefyll yn well na'r safon.

Diolch am Osod Cegin

Dduw'r siment a'r talentau,
nid wyf yn foi *DIY*.
Na, dwi bach fel Mister Bean
o'm pen ôl i'm penelin!
Wyth oed o letchwith ydwyf,
wyth deg oed methedig wyf
wrth ddal llif neu forthwyl llwyd –
fi yw Wali fy aelwyd!

Ond i'r gwaith bu 'mrawd ar ga'l,
a man who can i'm cynnal:
nid rhyw rôg igam-ogam,
nid sgriwiwr gwyllt a'i sgwâr gam;
nid rhyw ionc a'i hoelion tro,
na bracswr beio'r *hacksaw*,
ond gŵr a gâr grefft gywrain
a'i gweld fel celfyddyd gain.

Megis Brueghel fe weli
gelf o fath nas gwelaf i:
nid rwbel oer ydyw'r blocs
i ti, Holbein y *toolbox*,
ond rŵm brwnt i'w Rembrandtio
a'i fawrhau yn *Louvre* y fro,
fel stiwdio Nash, fel *Stonehenge*,
Botticelli o *challenge*.

Er gwynt *burger* a chyri
yng nghraciau fy waliau i,
gwelaist gragen hen yn hardd,
yn gynfas i geginfardd.
Artist y brics a'r mortar,
oet Cézanne yng nghot y sa'r;
Vermeer mor bur am bris bach;
Tintoretto – ond rhatach!

Monet yr alwminiwm,
oet Lautrec y teilo trwm;
Picasso, El Greco'r *grips*,
Raphael sgriwiau *Phillips*.
Yn y graenus gywreinio
roet fel Michelangelo,
a gwnest di y gegin stâd
yn Sistîn o estyniad.

Dawn dweud yn oedi ydwyf,
dwy law chwith yn diolch wyf
i Hywel Wyn f'eilun i,
Hywel Wyn pob haelioni.
Yn y cŷn a'r plân cynnil,
neu o dro i dro'n y dril,
ym mhanso mwyn y siment,
O! dwlwn gael dy dalent.

T. Llew Jones yn 90

Fe fentrwn pan oeddwn iau law yn llaw
    â T. Llew ar deithiau
  ymysg lladron y tonnau
  wrth i'r cyfnos agosáu.

Ac i fyd o ogofâu y rhwyfem
    rywfodd at drysorau
  cudd a newydd gan fwynhau
  yr ofon yn y rhwyfau.

Ond byw dan gysgod bwyyll yn amal
    a wnaem, neu'n wir, cyllyll;
  ac o dro i dro roedd dryll
  yn duo'r noson dywyll

lle'r oedd ffordd arall ar waith, ffordd carnau
    ceffylau'n ffoi eilwaith;
  ffordd beryglus, felys, faith,
  ac un i'w dilyn ganwaith.

Ond yna fe sbardunem: y siwrne
    i Blasywernen welem,
  neu liw hwyr, mewn storom lem,
  ar olwyn sipsi'r elem.

Ac aem, er mwyn gwrando ar gân adar,
    i goed Cwm Alltcafan
  gyda'u mil o nodau mân –
  a Llew fel cri'r dylluan!

Troi'r iaith yn anturiaethau a wnâi Llew,
troi'r lleuad yn olau;
troi tyrfa Beca a'r bae
yn arwyr, nid yn eiriau.

A gwn nad dychymyg yw yr arwyr
a erys hyd heddiw:
yn ei fêr y maent yn fyw,
darn ydynt o'r hyn ydyw.

Y mae Alf a Tim ei hun o'i fewn ef
yn un ar y comin:
y bachgen a'r gŵr penwyn
naw deg oed yn un deg un.

Geiriau a Gerais

(Casgliad T. Llew Jones o'i hoff gerddi)

Anwylaist, fel penteulu, y geiriau
a geraist, ac felly,
o bennill i bennill, bu
hwythau'r geiriau'n dy garu.

Waldo

Tra bo iaith byd natur bydd geiriau mawr
y gŵr mwyn o'r newydd
yn mydryddu'r awyr rydd
a throi'r waun yn athronydd.

Haicw

Mae dweud y cwbwl
mewn dwy sillaf ar bymtheg
yn gwbwl amhos

Crefftwr

Saer swil, er 'studio filwaith uniadau
di-nod dy orchestwaith,
fe wn na welaf unwaith
ôl saer a'i dŵls ar dy waith.

Catrin Finch

Rho'r diawl a'i ddawns i'r delyn; rho i'w thôn
chwerthiniad a dychryn;
rho gusanau i'r tannau tyn,
rho iaith ffair i'th offeryn.

I Einir Dafydd yn 18

Einir, pan wyt ti'n canu dy nodau
deunaw oed wrth ddathlu,
rwy'n dal fod y deryn du
ei hun yn cenfigennu.

Cerys Catatonia

Mewn gig, â'r meini'n gwegian,
stŵr mud yw'n storïau mân:
gwydrau, mwg, a drymiau harn,
gwadnau'n gwawdio yn gadarn;
pregethu, poeri, gwthio,
dyrnau'n cau a phawb o'u co'.
Yn y tarth tu hwnt i iaith,
boteli yw'r bît eilwaith.

Ond, drwy'r tarth, daw hyder tôn
i anwylo'r cwerylon,
a chalon gatatonig
i gofleidio'r dawnsio dig.
Nodau'r meic sy'n hollti'r mwg
yn y golau o'r golwg,
a'u taranau'n tirioni
holl ddyrnau ein hofnau ni.

Ym merw'r ddawns, mae'r ddwy iaith –
yr arafwch a'r afiaith:
Cerys yw deigryn cariad,
yr awydd hir a'r rhyddhad.
Hi'r gân serch, hi rygnu sur,
hi'r wâc asid, hi'r cysur;
hi'r alaw fel dur hoelen,
hi *Road Rage*, hi gordiau'r wên.

Ac ynddi hi mae'r ddwy wedd –
y düwch ym Mlodeuwedd:
hithau'n bygwth, yn begian,
â chusan chwys yn ei chân.
Gwydr chwal yw ei hana'l hi,
ochenaid yn teilchioni
rhyngom nes troi yr yngan
yn groen gŵydd, yn esgyrn gwan.

Pan af adre'r bore bach
a sibrwd i'r sêr sobrach,
mae ei chri 'mhob gwythïen,
a'i drymiau hi'n mwydro 'mhen.
Wedyn, cyn i gwsg eu cau,
mae'r eneth yn f'amrannau,
â'i chân, cân alarch unig,
yn oeri'r gwaed wedi'r gig.

Y Torrwr Beddau

Tu ôl i'r holl ddillad du,
tu ôl i res y teulu,
llechai mewn crys-T llachar
ryw foi di-osgoi o sgwâr
â'i wên sgi-wiff a'i jîns gwaith
a'i *wellies* yn frwnt eilwaith.

Yr oedd chwys a phridd a chwyn
mynwent ei fara menyn
hefyd yn rhychau dwfwn
dwylo rwff, dialar hwn.
Y clai a anwylai, nid ni.
Nid oedd yn dweud y weddi.

A ni'n bendrist o ddistaw'n
pasio'r arch, pwysai ar raw;
rhaw ddi-hid â'i hawch mor ddu,
rhaw ydoedd nad yw'n rhwdu
tra bo'i pherchen dienaid
o'r olygfa'n rhan o raid.

Bachan dierth yn perthyn
i neb oedd, ac i bob un:
un a âi o un erw noeth
draw i'r un nesaf drannoeth
heb wybod mwy na bod man
annifyr i'w droi'n hafan.

Wrth Weld Englyn ar Garreg Fedd

Er y tusw cwrteisi yn y pwt
o ddweud pert amdani,
brawddeg ar garreg yw hi,
brawddeg heb eiriau iddi.

Geiriau o Gydymdeimlad

Ni all un sill ohonynt dawelu
yr un dolur rhyngddynt:
rhad ar y gorau ydynt,
ond geiriau rhad y gwir ŷnt.

Er cof am Gwyn Pari Huws

(Awdur a chapten llong)

Yr un yw'r llanw a'r trai eleni
ag o'r blaen i rywrai,
ond fe wn fod y Fenai
yn ei llif un don yn llai.

Torri'r Garw

(ar ôl clywed bod un o'm ffrindiau dyddiau-ysgol
bellach yn dioddef o ganser ar y fron)

Codaf y ffôn aflonydd
ddwywaith neu deirgwaith y dydd
a'i dal rhwng fy mysedd dig;
y bysedd fi-sy'n-bwysig
na ddeialant dy ddolur
na chael gafael yn dy gur:
ofni stori, deigryn, stŵr
sillafau petrus, llwfwr,
a'r glatsien nas yngenir –
geiriau gwag a ŵyr y gwir.

Mewn 'sgrifen lân, hunanol,
ar ddalen wen trof yn ôl
at eiriau call sy'n troi cur
dy holl wythi'n gnawd llythyr.
Er hyn, er im bendroni,
mae'r inc yn fy meiro i'n
rhy fud, rhy eiriog, rhy fên,
rhy euog ei gystrawen;
sŵn dim sy'n ei idiomau'n
mynnu dod rhyngom ein dau.

Wyf am iaith o dân fy mol,
nid iaith y geiriau dethol;
yng ngramadeg fy rhegi
dweud fy nweud a fynnwn i
yn fy nhro cyn postio'r peth
yn ei amlen anghymleth.

Ni wn a oes cyfiawnhau
y gohirio llawn geiriau,
a'r atal llond y ddalen
pan fo iaith yn artaith wen,
neu'n ddim, fel tae'r gair neu ddau
yn waeth na'i hartaith hithau.

Diawliaf. Diawliaf hyd wylo.
Ta waeth. Bwrw ati 'to.
A chael, rhwng y gwrid a'r chwys,
inc araf – 'Annwyl Carys . . .'

Phil Bennett

Strade'n darth. Gyddfau'n carthu.
Naw i ddeg. Y pridd yn ddu.
Cael a chael. Stydiau a chwys.
Dwrn ifanc drwy hen wefus.
Y bêl mas. 'Nôl i'r maswr!
Rhewai'r dorf, a'r sêr, a'r dŵr;
yn wir, pan gâi Benny'r bêl
rhewai llumanau'r awel.

Yng nglaw'r cyfnos arhosem
ryw gais munud-ola'r-gêm;
ryw wyrth gan ddewin ar wib,
maswr a wnâi'r amhosib.
Trydanai fêr y teras,
a phigo bwlch â'i ffug-bas
cyn mentro dawnsio rhwng dau
yn Houdini o denau.

Drwy'r stêm sosban o ana'l,
torrai i'r chwith at dir chwâl:
sêdist pert o seidstep oedd,
a direidi dur ydoedd.
Tua'r asgell troai ysgwydd
mewn rhyw herc cyn camu'n rhwydd
'nôl tu fewn nes gweld tu fas
lôn arall i'r lein eirias.

Yma fe welai ymyl
y môr coch rhwng muriau cul:
aroglai hwn ffordd drwy'r glaw,
cyrliai rhwng llafnau'r curlaw.
Cadnoai drac diniwed
am y lein mewn dim o led,
heb ofni neb wrth fwynhau
gwiwera heibio i'r gorau.

Glöynnai rhwng gelynion
i'r ddihangfa ola' hon
yn y gwyll wrth iddynt gau
awyr iach rhwng eu breichiau.
Gyda'r to, fe godai'r tarth
a ddôi heibio i Ddeheubarth
pan welem Bennett eto
yn sgori cais gorau'r co'.

John Cilrhue

(sef John Davies, y ffarmwr o Foncath –
a phrop pen tyn Sgarlets Llanelli a Chymru)

Mae cefen gwlad a'r Strade
fel un yn ei afael e':
yn ei ddwrn mae pridd y ddau,
erw'r cwysi a'r ceisiau;
milltir sgwâr gwaith a chwarae,
man du a gwyn mewn dau gae.

Mae'n brop balch, mae'n bŵer pur
fel haul oer ar Foel Eryr,
neu fel dreigiau Foel Drigarn,
neu'r gwreichionyn hŷn na harn.
Myn diawl, mae'n gromlech mewn dyn,
a'i war fel Foel Cwm Cerwyn!

Mae sgarmes gwynt a cheser
y Frenni Fawr yn ei fêr;
y grug a'r graig ar ei gro'n,
a'r cleisiau'n gerrig gleision.
Halen daear Preseli
bob asgwrn yw'n harwr ni.

Er hyn, mae un clos o raid
fan hyn yn nwfn ei enaid;
un man yng nghysgod mynydd
i'w ddal yn dynn derfyn dydd;
fan hyn mae'i gynefin e'
haf neu aeaf – Cilrhue.

Ar barc y bêl fe welwn
mai caeau'r ffarm yw corff hwn:
coesau gwaith fel caseg wedd,
a sŵn feis yn ei fysedd;
bodiau fel byllt y beudy
a chefen fel talcen tŷ.

Yn y gêm mae gan y gŵr
raw onest y gwerinwr;
gwybodus ei gaib ydyw,
hen law o brop, labrwr yw
a dry y rhai o dan dra'd
yn falurion, fel arad.

Ac wedi'r *ruck* draw yr â
a mynwesu'r sgrym nesa'
lle caiff chwe gwar ddynwared
sŵn crynu sinc rhyw hen sied,
neu eto 'Clatsh!' iet y clos
nes gweld sêr eger, agos.

Mwynhau clymu'r sgrym a wna
a'i gwthio i'r plyg eitha;
gwyro mewn yn grymanus,
sgiwera'i hun wysg ei grys;
gwthio'i ên rhwng gwên a gwg,
diodde' rhwng dau wddwg.

Mae'n boen bogel i'w elyn,
yn bennau tost o ben tyn.
Mae dyrnau'n ei bryd a'i wedd
a hen hanes dan 'winedd
grymuswr y sgrym osod,
y gŵr â'r fraich gryfa' 'rio'd.

I'r un heb ofn, i'r hen ben,
mae man gwyn mewn hen gynnen
ond pan gilia 'rôl chwarae
yn ôl i gôl ei ail gae,
nid yw'n meddwl ei fod e
yn rhywun – mae'n Gilrhue.

Elin, Iwan a Rhys

(plant Llwyneithin, Pen-parc, ac wyrion y Graig a Rocklands)

Mae bri ar adar dierth,
adar o bant, ar y berth;
ie, adar mawr â'u stŵr main
yn uwch na'n hadar bychain.
O dros y clawdd hawdd iddynt
gyrraedd yma gyda'r gwynt
â'u hiaith mor ddoeth, mor ddi-hid
o'r gân anwar, gynhenid.

Er hyn, ni phlygant ein traw
na thawelu fyth alaw
ein cywion cartre', lleol –
mae rhai, oes, mae rhai ar ôl.
O'r rhain, y mae triawd prin
yn nythu yn Llwyneithin;
tri y rhoed yn eu trydar
bethau gorau'r filltir sgwâr.

Yn nodau mân eu canu
y mae'r Graig mor wâr o gry',
a'u sain, fel Rocklands ei hun,
erioed mor dyner wedyn.
Os adar dawnus ydynt,
adar diymhongar ŷnt
o frîd, ac ynddynt mae'r fro
a'i chaeau'n ymfalchïo.

Dim Ond Cymrâg Aberteifi Sy' 'Da Fi

'Dyw Nghymrâg i'n ddim i'w bragian (yn nhre'r
Arglwydd Rhys o bobman)
wa'th hi yw'r iaith ar wahân
yn ei *ghetto*'n bigitian.

Mae o'i chof, mae'n ei hofon am aros
rhwng y môr a'r afon;
iaith hen granc yw ei thiwn gron,
iaith anghŵl, iaith angylion.

Hi yw'r iaith yn Mron-y-dre; iaith yr Hope,
iaith Rhiw Ropeyard hithe;
iaith y capel ar sbele;
iaith â'r jiawl – ac iaith Ridgeway.

Iaith brics coch, iaith bracso cân; iaith y Red,
iaith y rhwydi'n gwegian;
iaith ôs a wês, iaith y Sân;
iaith y pitsio, iaith potsian.

Iaith boi'r hewl, iaith y browlan; iaith seiens,
iaith sewin mewn ffrimpan;
iaith codi hwyl, iaith gwylan,
iaith dŵr Mwnt, iaith adar mân.

Iaith p'nawn gwlyb, iaith pannu gwlân; iaith y tir,
iaith teras yn cloncan;
iaith rhaffu, iaith yr effian,
iaith ofyrôls, iaith y frân.

Iaith cowbois ac iaith cobie a bwrlwm
        Sadwrn Barlys ynte;
    iaith iobs drwg, iaith bois y dre;
    iaith y Gotrel, iaith gytre.

Iaith Fflach ac iaith heb swache; iaith Llandoch
        (ac iaith Llunden weithie);
    iaith wag i rai – ond iaith gre',
    yr iaith i'r dysgwyr hwythe.

Iaith hen bobol, iaith baban; iaith gobaith
        o'r Gwbert i'r Mwldan;
    iaith agor iet, iaith â gra'n,
    iaith hen win, iaith 'n hunan.

Y Cei yn Aberteifi

Fel glaw hallt, fel awel glyd, fel hiraeth,
    fel y wawr a'r machlud,
  mae ffarwél a dychwelyd
  yn yr afon hon ynghyd.

Ffarwelio â'r Haf yn Gwbert

Yn wyn, wyn, wrth ganu'n iach i'r hen haf
    drwy'r niwl a'r mân lawiach,
  'does galarwr disgleiriach
  na haul hydre'r bore bach.

I'r Pryfyn ar We Pry' Cop

(ar lawnt y bore)

Tarth hud rhyw wyrth o edau a welaf,
    ond fe weli dithau
  garcharwisg y frodwisg frau
  yn gadwynog o denau.

Y Fursen Las Gyffredin

(a welais am y tro cyntaf – a'r tro diwethaf – yn Haf 2006)

Gall glesni'r nef ym Mehefin oedi
wrth dy draed yn gyfrin
heb it erioed wybod rhin
ei pharadwys gyffredin.

Hen Ŵr yn Darganfod Blodyn wedi'i Sychu mewn Llyfr

Yr awyr las a flasai – a'r halen –
yr eiliad y bodiai'r
papur sur a bersawrai
gan law merch, gan lili Mai.

Rhif PIN

Mewn byd lle'r ydym yn 'Bwy?' dienw
a diwyneb fwyfwy,
cyfrif pedwar rhif yr wy',
pedwar sy'n dweud pwy ydwy'.

Y Bioden

'Beth yw lliwie'r aderyn?
Nawr, dwed y gwir.'
    'Du a gwyn.'
'Pa liw ydyw'r plu wedyn?'
    'Dwi wedi gweud: du a gwyn.'

'Bob pluen o'i adenydd?'
    'Ym . . . glas.'
'Fel yr awel rydd?
Fel rhyw lechen ysblennydd?
Glas pob dôl?'
    'Na, glas pob-dydd.'

'Pa liw ei gynffon ddiwyd?'
    'Piws a gwyrdd.'
'Fel pwysi i gyd
o flodeuach liw machlud?'
    'Na, gwyrdd a phiws, dyna i gyd.'

'Cyn graffed â llygedyn,
rhaid gweld heibio i'r du a gwyn.
Beth yw lliwie'r aderyn?
Nawr, dwed y gwir.'
    'Du a gwyn.'

Gwaddol

Clec ar ôl clec ydyw'r clos,
a'i frigau'n friwiau agos
i'r hon a wêl fore'n nos.

Sŵn morthwyl yr ocsiwn yw,
ergydio'r gwagio ydyw.
Hoelio arch sydd yn ei chlyw.

Mae'r gwaddol mor gyhoeddus
yn y bawd a'r ystum bys:
rhesymu pris ymhob rheg,
bref ar fref yn gyfrifeg.
Gyda'r lloffion hwsmonaeth,
rhaffau'r lloi a'r offer llaeth,
malwyd, glec wrth glec, gefn gwlad
ei theulu dan forthwyliad.

Mae hanes ymhob munud,
a'r fam, nad yw'n fam, yn fud:
gwyra'i ffordd o gaeau'r ffws
i ddistawrwydd y storws.

Wyneb ei mab yw y man:
yno mae'n cofio'r cyfan . . .

* * *

CLEC!
Adlef. Bref. Bolltia'r brain.
Gwrychoedd yn sgathru-sgrechain.
Beudy yn diasbedain.

Mae'r eco sy'n staenio'r stên
i'w glywed yn y gleien,
yn llenwi y feillionen.

Eiliadau o gnul aden
yn y llwyn, cyn bod y lle'n
dawelach na chwymp deilen.

Uwch ffermydd llonydd gerllaw,
awel y dryll a eilw draw
yn ddi-osteg o ddistaw.

Ers oriau'n trwsio'i weiren,
nid yw Boyce yn codi'i ben:
ei fyd yw Parc-y-Fedwen.

Wrth osod hen fagl gaglog,
ni wêl Hughes tu hwnt i'w log,
na hwnt i glawdd Nant-y-Glog.

Os clywodd John Cilbronne,
yn ddi-hid y clywodd e'r
baril yn hollti'r bore.

Clywodd ei fam – heb amau,
ac i guriad cleciadau
ei gweill, aeth ymlaen â'i gwau . . .

. . . Am un, mae'n ddiamynedd.
Mae'n un o'r gloch. Mae'n awr gwledd!
Agor clwyd. Gwyro i'r clos.
Ble'n awr? Mae'n blino aros.

Mae'n galw'i enw, a'i alw'n enwau,
heb neb i'w hateb, nes daw o'r cytiau
ddysenni, dysenni o atseiniau'n
gwatwar yr alwad gwter-i-waliau.
Yn ei methiant mae hithau'n agor drws
i encil y storws o'r clos dieiriau.

Gwêl fudandod gweddill ei diwrnodau
yn y gwellt oer wrth yr hen gylltyrau:
agorwyd rhych hyd gweryd yr achau,
a lle bu'r llafur heuwyd hunllefau.
Yn ei waed cronna'r hadau – a gwêl hon
glwy' ei chalon ar wyngalch y waliau.

*   *   *

Heno'n y tŷ o flaen tân
y mae, rhwng ei bysedd mân,
feichiau un neges fechan;

neges a roed wrth goes rhaw:
ei holl lais sydd yn ei llaw
yn dyst aflafar, distaw.

Yn y mwg fe ddychmyga:
dod â'r cnawd i'r co' a wna
a diawlio'i funud ola' . . .

Poeri. Estyn papurach
o'r dreiriau llawn biliau bach.
Cau'r dreiriau. Ac mae'n ei dro'n
bwrw'i boer ar y beiro,
cyn dweud, heb ei ddweud, ei ddig
ar y nodyn crynedig.

Gwyra'i bladur sgribliadau
yn frith drwy ei famiaith frau:
mae'r eirfa lom ar fìl hen
yn ddiwaelod o ddalen.
Heb y rhegi barugoer
mae'n cau ei waith mewn inc oer:
crynhoi ei gancr a wna
a'i waddoli'n waedd ola'.

Naddodd, mewn 'sgrifen eiddil,
ofn byw ar hyd cefn y bìl,
a rhoi, mewn brawddeg traed brain,
y gwae rhy drwm i'w gywain;
y gwae hir mewn saith geiryn –
'Mam, yn y wir, sa'i moyn hyn.'

Rhyw ddal 'nôl wna'r ddalen hon
ei storws o ystyron:
pan fo wylo'n dudalen,
y dwedyd llai sy'n gwneud llên.

* * *

Gwaddolwyd iddo had ei gyndadau,
o'r tiroedd rhent i'r tir oedd â'r heintiau;
o'r weiren bigog i rawn y bagiau;
o'r wawr gelwyddog i'r hen weirgloddiau.
Gwaddol yr unigeddau a gafodd.
Ni ddewisodd. Ac nid oedd ei eisiau.

Rhygnu mileniwm yw'r ugain mlynedd
ers i'w dad, ym Mharc-Rhiw, lithro i'w ddiwedd:
ugain aredig yw ei anrhydedd
yn gwaedu ar gerrig didrugaredd.

Ni wêl, fel bardd, ymgeledd y llethrau;
a rhygna'n ddieiriau ei gynddaredd.

A hi'n dywydd ŵyna hyd ei ddannedd,
yng ngwingo oenig ni chlyw gynghanedd.
Ni wêl ryfeddod yn ei ddinodedd,
na'r cwysi union yn creu cyseinedd.
Gwawrio byw yw agor bedd – yn nhir poen:
o'i fêr i'w groen fe ŵyr y gwirionedd.

Bore arall fel cydio ysgallen.
Gwawr arall heb osgoi pigau'r weiren
yn y bwlch didostur sy'n rhydu'r wên,
drwy'r gwynt a'r glaw sy'n pydru'i gystrawen.
Poera a rhega yn nghlyw'r pren – a'r sêr,
a rhannu'i bader â'r un bioden.

Ar ei dir unig, aradr anhunedd
a dyrr yn ddyfnach-dduach-ddiddiwedd,
nes troir y tir yn gwysi'r atgasedd
o fis i fis, fel rhychau ei fysedd.
Dwy frân uwchlaw celanedd yw'r llygaid,
mor oer â'r enaid ym maw'r ewinedd.

Ond is y gro nid oes sgrech – am unwaith,
 na mynydd anorthrech.
 Ym mhen y dryll y mae'n drech,
 a'i ddiddymdra'n ddiymdrech.

*   *   *

Mynwent y gwagio pentan ydyw hon,
a down o'r tai allan
a'r storws i ystwyrian
uwch yr arch – a chwarae rhan.

Gwisgwn ein galar parod; gwisgo bro
mewn siwt brân anorfod:
dagrau'n ystrydebau'n dod –
ond neb yn ei adnabod.

Ni wyddom ei flynyddoedd ar y tir
y tu hwnt i'w wrychoedd:
alltudiaeth fel hollt ydoedd,
hollt lydan yr hunan oedd.

Ar wegil crwm y brigyn, geiriau mig
eira mân sy'n disgyn.
Mae'r eirlysiau'n gastiau gwyn:
mae 'na bladur mewn blodyn.

Er i'r gweinidog ddarogan Gwanwyn
ac Oen yn y graean,
i'r henfam yn yr unfan,
llwybrau'r oen sy'n cymell brân.

Hithau'n gwybod bod y bedd yn ddyfnach,
oerach nag anwiredd;
a ninnau'n gweld yn ei gwedd
y brain a baw'r ewinedd.

Sibryda'r eira'i araith ar garreg,
cyn i'r geiriau ddadlaith.
Mae'r ddwy funud fud mor faith,
dwy funud o fyw unwaith.

Mae hen, hen bregeth ym min y brigau
lle clywn ochenaid ein holl gyndeidiau,
cans onid un yw'n hedyn â'u hadau,
a'r un gwlithyn ein deigryn â'u dagrau?
Mewn un bedd mae ein beddau oll yn nes:
ym mru hen hanes mae'n marw ninnau.

Y bedd yw'n hetifeddiaeth;
esgyrn yw ein cynhysgaeth.
Tywodyn yw'n treftadaeth.

* * *

O rigolau awr galar,
o ffiniau'r bedd, ffown i'r bar.
Ond wedi rhethreg-regi
ymson ein hanesion ni,
wedi stori am dda stôr –
cyfrolau'r seibiau sobor.

Ar y bar, gwydrau'n aros,
gwydrau doethinebau'r nos.
Ddracht 'rôl dracht mae dau neu dri
dywedws' yn ei dweud-'i;
beint wrth beint yn ail-greu byd
y gŵr ym mreichiau'r gweryd.

'Dyn nabod-neb, dyna oedd,
a boi od i bawb ydoedd,'
a boerodd John Cilbronne
wrth Hughes yn ei araith e'.
Â'i lwnc claddodd Nant-y-Glog
eu meudwy o gymydog:
'Ei fyd i gyd oedd ei gae –
yn wahanol i ninnau.'

Yn y gwaelod nas gwelir,
gwydr gwag a geidw'r gwir.

*　　　　*　　　　*

Wedi hanesion ei fyd ynysig,
fe drown i gyd i'n cleien bellennig,
yn ôl i rydu yng nghlwy'r aredig,
yn ôl i waedu yn anweledig.
Trown i'r acer lawn cerrig – a dyled,
ac i gymuned o gamau unig.

Clec!
Adlef. Bref. Bolltia'r brain.
Gwrychoedd yn sgathru sgrechain.